Para Telmo, Alma e Iker, empedernidos soñadores en mil y un colores... Y a Mia y Lluís, gracias por hacer posible este libro.

La Ville en Rose
Texto © Carlos S. Sandonís
Ilustraciones © Mikel Casal

Primera edición en castellano para todo el mundo © octubre 2017
Tramuntana Editorial – c/ Cuenca, 35 – 17220 Sant Feliu de Guíxols (Girona)
www.tramuntanaeditorial.com

ISBN: 978-84-16578-74-0
Depósito legal: GI 910-2017
Impreso en China / Printed in China

La Ville en Rose

Carlos S. Sandonís

Ilustrado por

Mikel Casal

Tramuntana

Una mañana, tras una extraña noche poblada de raros humos y densas nieblas, la ciudad de Carla amaneció completamente rosa.
No importaba dónde miraran sus habitantes.
Si a sus caras, a sus manos o a sus pies; si a sus perros o a sus gatos.
Para todos y cada uno de ellos el mundo era exclusivamente rosa.
De cabo a rabo, del derecho y del revés.
El cielo, el sol, la luna... Y los helados de limón, las farolas, los árboles, la salsa de tomate, los problemas de matemáticas...
Desde ese día, nada en la ciudad de Carla volvió a ser igual.

–¡No puede ser! ¡Tengo que estar soñando! –se dijo Carla la mañana en que todo empezó.
La Carla que ahora veía reflejada en el espejo era rosa de los pies a la cabeza. De repente, descubrió con asombro que una sonrisa acababa de instalarse en su rostro. Si no estaba alegre ni feliz, sino más bien todo lo contrario, ¿a qué venía aquella sonrisa?
Carla trató de borrar la sonrisa de su boca.
–¡Vete de aquí! –le dijo a su sonrisa. –¡No eres bienvenida!
Pero la sonrisa no le hizo ningún caso. Siguió plantada tan ricamente en su boca. Entonces Carla decidió reunirse con su familia.

Strawberry
Jam
oil
HONEY

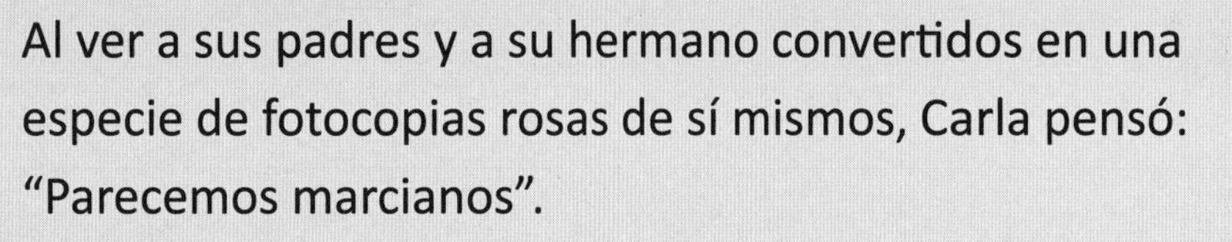

Al ver a sus padres y a su hermano convertidos en una especie de fotocopias rosas de sí mismos, Carla pensó: "Parecemos marcianos".

El padre de Carla carraspeó ligeramente y dijo con voz solemne:

–He leído todos los periódicos. He escuchado todas las noticias de la radio y de la televisión. Me he conectado a internet. No se habla de otra cosa. Todos. Todo lo que nos rodea es... rosa...

Carla se fijó en que tanto él como su madre y su hermano llevaban plantada en sus caras una sonrisa idéntica a la suya.

–¿Sabéis una cosa? –empezó a decir la madre de Carla. –Ya sé que todo lo que está sucediendo es muy extraño, pero aunque no pueda explicarlo, ¡me siento de maravilla!
–Yo iba a decir lo mismo, querida. ¡Jamás me había sentido tan bien! –intervino el padre de Carla.
–¡Ni yo! –exclamó su hermano Guille.
–¡Ni yo! –reconoció también Carla, que ya llevaba un rato sintiendo un agradable cosquilleo que le recorría el cuerpo desde las cejas hasta las uñas de los pies.
–¿Qué tal si salimos a la calle a echar un vistazo? –propuso la madre de Carla.

A decir verdad, todos los habitantes de la ciudad habían pensado lo mismo.
Por las abarrotadas calles, niños, ancianos y adultos miraban a su alrededor con asombro e incredulidad, mientras unas espléndidas sonrisas iluminaban sus rostros.

Era como si todos se hubieran puesto de acuerdo al mismo tiempo para ser felices.

Al día siguiente la noticia de aquel asombroso suceso había recorrido las cuatro esquinas del mundo.
Desde Alaska a Ciudad del Cabo, de Tokio a Montreal, el mundo entero estaba al corriente de que en una pequeña ciudad situada en algún lugar de Europa sus habitantes se pasaban las 24 horas del día viéndolo todo rosa y siendo felices sin dejar de sonreír.
Enseguida empezaron a llegar curiosos de todas partes para comprobar con sus propios ojos si aquello era cierto.
Al acercarse veían una especie de burbuja de niebla y humo envolviendo la ciudad.
En cuanto atravesaban la niebla y el humo, el mundo se les aparecía de color rosa.
Al poco una sonrisa acababa instalándose en sus caras.
Luego llegaba lo mejor: esa agradable sensación de felicidad que les invadía por dentro y por fuera.

La ciudad fue llenándose de visitantes que ocuparon todos los hoteles. Después acamparon en los parques, descampados, jardines, polideportivos, centros comerciales... Hasta que ya no hubo un lugar libre donde dormir.

Pero eso no desanimó a los miles de ciudadanos del mundo que cada día llegaban atraídos por la promesa del color rosa y la felicidad.

Mientras tanto, las autoridades celebraban a bombo y platillo que una ciudad que nunca se había distinguido por nada en especial, se hubiera convertido de la noche a la mañana en el centro del universo.

Científicos llegados de las universidades más prestigiosas debatían día y noche cómo era posible que semejante fenómeno hubiera ido a suceder en aquel lugar.
–Es a causa de la niebla –sostenían unos.
–O del humo –matizaban otros.
–Es por el agua corriente –sentenciaban los más.
–La dieta...
–El cambio climático...
Nadie se ponía de acuerdo.

Las semanas fueron pasando, y pronto se hizo evidente que más temprano que tarde la ciudad estaría condenada a enfrentarse a un peliagudo problema: la falta de espacio.
Porque todos los que llegaban deseaban quedarse a vivir allí para siempre.
Las autoridades empezaron a manifestar cierta contrariedad.

–¡Hay que hacer algo! –declaró el alcalde –¡No hay trabajo para todos! ¡Ni escuelas, ni médicos, ni suficientes hogares! ¡Y la comida muy pronto empezará a escasear!

Así que se organizó un gran congreso mundial para decidir qué hacer al respecto. Autoridades muy serias y respetables, y científicos muy inteligentes y brillantes, se reunieron a las puertas de la ciudad y se pusieron a debatir. Y debatir. Y debatir... Mientras a la ciudad de Carla continuaban llegando miles de personas.

Entonces, un suceso extraordinario tuvo lugar.
Ocurrió una tarde de primavera en el parque más concurrido de la ciudad.
Carla y Guille paseaban entre sonrisa y sonrisa cuando, de repente, se empezaron a escuchar lloriqueos, sollozos, llantos... Era un bebé que lloraba.
Hacía semanas que no se oía algo parecido.
Al poco rato Carla y Guille empezaron a sentirse mareados.
A su lado, la señora Ramírez, una de sus vecinas, sufrió un desmayo.
Otros vecinos tuvieron que sujetarse a los árboles para no caerse al suelo.
–¡No puedo más!
–¡Que alguien haga callar a ese bebé!
Se oía gritar aquí y allá mientras todo el mundo se tapaba los oídos.

uaaaaa

A las pocas horas los hospitales de la ciudad se llenaron de pacientes con idénticos síntomas: mareos, sudores fríos, espantosos dolores de cabeza...

Esa noche hubo otra reunión urgente de científicos y autoridades.

En esta ocasión todos llegaron, enseguida, a la misma conclusión: las lágrimas, los gritos, las quejas... En suma, la tristeza era la causante de la epidemia.

La única cura posible era eliminar para siempre la tristeza.

A la mañana siguiente el alcalde declaró al mundo entero:

–¡A partir del día de hoy, la tristeza queda terminantemente prohibida en esta ciudad! ¡No se tolerará una lágrima! ¡Aquél que infrinja la ley será inmediatamente expulsado de la ciudad!

BUS STOP
33
11 25 9

Horas después, brigadas de hombres ataviados con largas batas rosas patrullaban las calles a la caza y captura de la tristeza.
¡Ay de aquél que se atreviera a llorar o incluso osara dejar de sonreír!

Hubo cientos, miles de detenciones.
Y luego cientos, miles de expulsiones.
Todos los detenidos y expulsados eran visitantes, turistas, o como les habían empezado a llamar las autoridades: extranjeros.
Pues se descubrió que para todos ellos era agotador pasarse las 24 horas del día con la sonrisa puesta en la boca.

Poco a poco la ciudad fue vaciándose
de extranjeros.
Todos se iban gritando y protestando:
–¡Solo necesitamos un poco más de tiempo
para acostumbrarnos! –rogaban.
–¡No queremos irnos! ¡Déjennos quedarnos
en su ciudad! –suplicaban.
Pero las autoridades no les creían.
Y las brigadas de Batas Rosas continuaron
haciendo su trabajo hasta que el último
extranjero desapareció de la ciudad.

Sin embargo, el alcalde hizo otra importante declaración:
–Ya que, a pesar de nuestras advertencias, miles de personas siguen tratando de colarse en nuestra ciudad, hemos decidido construir un Gran Muro que la rodeará e impedirá el acceso a cualquier intruso.

Miles de obreros armados de grúas, camiones, y toneladas de cemento y ladrillo, comenzaron a construir el Gran Muro.
Trabajaban sin respiro día y noche.

El Gran Muro fue haciéndose más y más alto.
Hasta que se perdió tras el humo, la niebla, las nubes...
logrando al fin convertir a la ciudad rosa en una
formidable fortaleza en la que nadie podía entrar.

A pesar de ello, cientos de miles de personas seguían apretujándose todos los días a los pies del Gran Muro.
Gritaban y suplicaban que les permitieran entrar en la ciudad.

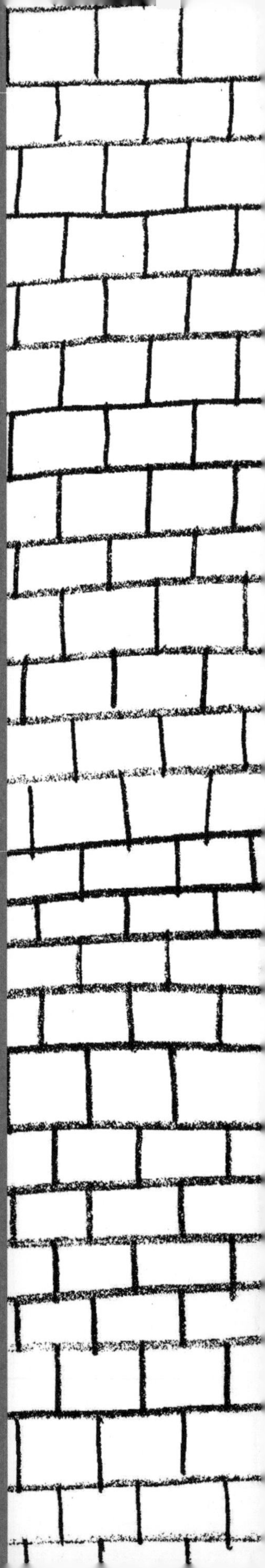

Pero, al otro lado, nadie prestaba atención a sus gritos y a sus súplicas.
Y es que a nadie le importaba ya lo que sucediera fuera de las murallas que rodeaban su amada ciudad.
Allí dentro llevaban semanas celebrando el fin de la epidemia de tristeza. Las risas y las carcajadas eran tan sonoras que traspasaban las murallas del Gran Muro y se oían a varios kilómetros a la redonda.

Y así se pasaron los meses, y más tarde los años, sin que las autoridades permitieran la entrada a nadie.

Poco a poco, el eco de las carcajadas fue apagándose...
Hasta que una extraña mañana poblada de más raros humos y más densas nieblas, dejaron de oírse las carcajadas, las sonrisas, los alegres murmullos...
Era como si en la ciudad rosa se hubiera instalado, por una larga temporada, un silencio sepulcral.

Al no tener noticias de lo que sucedía en la ciudad, y como quiera que aquel silencio daba más miedo que otra cosa, las muchedumbres fueron poco a poco abandonando los alrededores del Gran Muro, y regresando a sus países, a sus ciudades, o allí donde les recibieran con los brazos más o menos abiertos.
A nadie le interesaba ya entrar en ese extraño lugar donde ahora reinaba sin remedio el silencio...
Así que la ciudad, aislada por toneladas de cemento y ladrillo, se sumió poco a poco en el olvido...

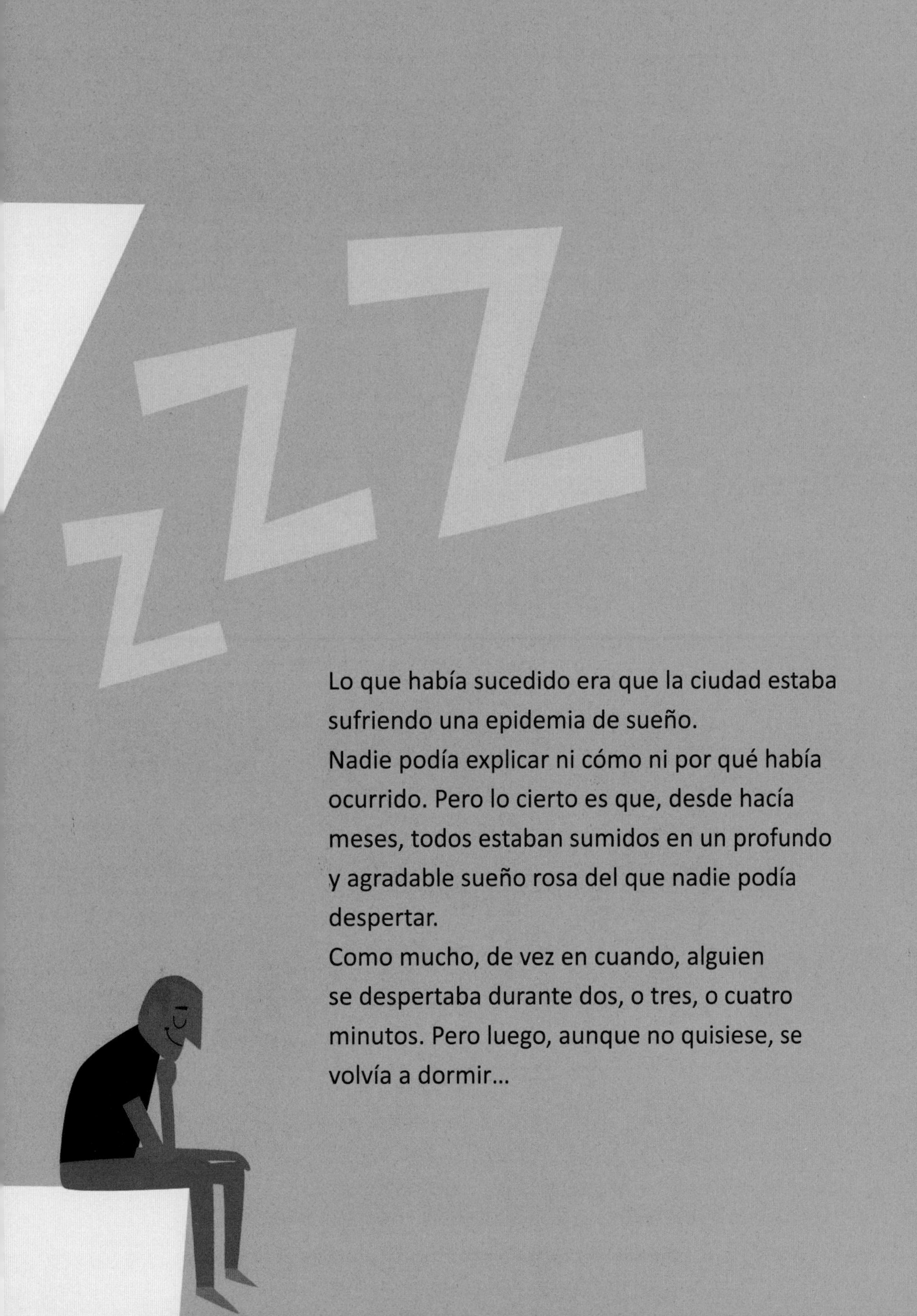

Lo que había sucedido era que la ciudad estaba sufriendo una epidemia de sueño.
Nadie podía explicar ni cómo ni por qué había ocurrido. Pero lo cierto es que, desde hacía meses, todos estaban sumidos en un profundo y agradable sueño rosa del que nadie podía despertar.
Como mucho, de vez en cuando, alguien se despertaba durante dos, o tres, o cuatro minutos. Pero luego, aunque no quisiese, se volvía a dormir...

Una tarde, fue Carla quien logró despertarse durante esos dos, o tres, o cuatro minutos... Hacía tiempo que echaba de menos hacer cualquier otra cosa que no fuera dormir y soñar, soñar y dormir... Le desesperaba no poder leer un libro, dar un paseo, quedar con los amigos, charlar...

Pero ni ella ni nadie tenía fuerzas para rebelarse contra aquel poderoso sueño. Así que, sin fuerzas para levantarse de la cama, Carla estiró el brazo en dirección a la ventana y gritó:

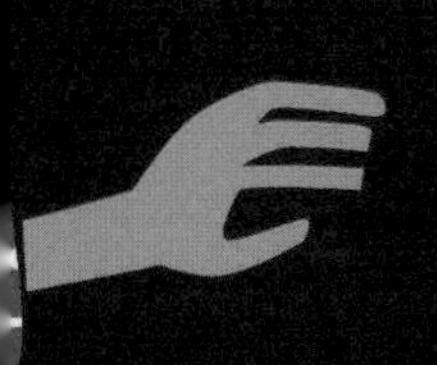

–¡Ayuda! ¡So...socorro!

Aquella tarde nadie la escuchó, pues su voz se perdió entre el raro humo y la densa niebla, rebotando sin remedio contra las murallas que rodeaban la ciudad.
Sin embargo, Carla volvió a pedir ayuda al día siguiente, y al otro, y al otro...

–¡Socorroooo...!

Hasta que una soleada mañana de primavera, alguien al otro lado del Gran Muro, por fin la escuchó.
Ese alguien resultó ser un niño que no solo tenía buen oído, sino también buen corazón.
Al poco, muchos como él se reunieron a los pies del inmenso muro, dispuestos a socorrer a la gente de allí dentro.
Construyeron altísimas escaleras y taladraron las gruesas paredes hasta que, al fin, lograron atravesar el Gran Muro.

Luego entraron con cuidado (no fuera a ser que ellos también sucumbieran a la epidemia del sueño rosa), y abrieron puertas y ventanas para que una corriente de aire fresco recorriera toda la ciudad.

La niebla y el humo rosas desaparecieron lentamente, mientras los habitantes despertaban poco a poco de su largo sueño.

Al abrir los ojos, el mundo dejó de aparecérseles exclusivamente de color rosa.

Y de su boca ya no colgaba como disecada una perenne sonrisa.
Ahora podían llorar si les apetecía, o reír solo cuando ellos quisieran.
Los extranjeros les recibieron con los brazos abiertos, y hasta les ayudaron a recordar, pues a muchos habitantes de la ciudad se les había olvidado cómo era vivir en un mundo rebosante de colores...

Colores mezclándose con más o menos armonía,
a veces con orden, otras con alegre desconcierto,
verdes y rojos, amarillos y violetas, marrones y azules,
blancos, negros, por supuesto grises, y, ¡cómo no!, suaves
y cálidos rosas…